Ce livre appartient à

. . . .

On me l'a offert le . . . .

. . . .

à l'occasion .

. . . .

Merci à . . . .

. . . .

SODEC
Québec ::

Le Conseil des Arts | The Canada Council
du Canada | for the Arts

Nous remercions

le Conseil des Arts du Canada de l'aide accordée

à notre programme de publication.

Nous reconnaissons l'aide financière

du gouvernement du Canada par l'entremise du Programme d'aide au développement de l'industrie de
l'édition (PADIÉ) pour nos activités d'édition.

MARTINE RICHARD

Tas-de-plumes

et les humains

Éditions de la Paix

© 2001 Éditions de la Paix

Dépôt légal 3ᵉ trimestre 2001
Bibliothèque nationale du Québec
Bibliothèque nationale du Canada

Imprimé au Canada

Illustrations Romi Caron
Infographie Philippe Ruel
Graphisme Geneviève Bonneau
Révision Jacques Archambault

Éditions de la Paix
127, rue Lussier
Saint-Alphonse-de-Granby
Québec J0E 2A0
Téléphone et télécopieur **(450) 375-4765**
Courriel **info@editpaix.qc.ca**
Site WEB **http://www.editpaix.qc.ca**

Données de catalogage avant publication (Canada)

Richard, Martine

    Tas-de-plumes et les humains

    (Dès 6 ans ; 14)
    Comprend un index.

    ISBN 2-922565-47-5

    I. Romi Caron. II. Titre. III. Collection.

    PS8585.I152T37 2001 jC843'.6   C2001-941298-3
    PS8585.I152T37 2001
    PZ26.3.R52Ta 2001

Martine Richard

Tas-de-plumes et les humains

Illustrations Romi Caron

Collection *Dès 6 ans*, no 14

Éditions de la Paix

pour la beauté des mots et des différences

ROMI CARON, illustratrice

Je suis née en République tchèque dans une famille où tout le monde dessinait. Ma mère enseignait l'art et avait l'habitude de faire des croquis de mon frère et de moi. Ces albums nous tiennent lieu maintenant d'album de photos.

Quant à mon père, architecte, il nous tenait toujours occupés à réparer le ciment, à labourer, à peindre, etc. Ma seule façon de m'en tirer était de m'affairer à dessiner dès que je rentrais de l'école.

À 14 ans, j'ai été admise à l'École des arts, et à 18 ans, à l'Université des Beaux-Arts de Prague où j'étais la plus jeune.

À 21 ans, j'ai rencontré un Canadien en Norvège... et depuis, je fais des croquis de mes deux fils, Jonathan et Samuel.

1

tirli li toul tour

(en langage de Tirli)

ou **Tirli écornifle**

(en langage d'humain)

Chut !

Tirli l'oiseau est en train d'écouter à la porte de Germain.

C'est facile, pour Tirli :
Germain habite la maison du zoo,
car il en est le gardien. Chut !

Germain est au téléphone. Il
dit :

— Maman, ma maison est trop grande ! Je m'ennuie, moi. Est-ce que c'est normal... même si je suis un adulte?

Tirli prend des notes : « Germain, un adulte, s'ennuie dans sa grande maison. »

Tirli vole jusqu'à l'autre porte. Il écoute :

— Ma maison est grande et je suis tout seul. J'aimerais mieux avoir un ami, même s'il me fallait pour cela habiter dans… dans… dans une boîte de carton !

Tirli écrit dans son calepin : « Le gardien s'ennuie vraiment beaucoup. » Puis l'oiseau plane jusqu'à une fenêtre. Il regarde le gardien tout triste. Le téléphone est raccroché. Il a un appareil photo dans les mains.

Tout à coup, Germain aperçoit Tirli.

— Tiens, c'est bizarre, dit-il. Drôles de plumes !

Et clic ! il prend une photo. L'éclair de lumière fait sursauter l'oiseau.

Sauve qui peut ! Moteurs ! Jet supersonique ! Au refuge !...

2

tirli-niii

ou **Le nid de Tirli**

Le refuge de Tirli est… « bizarre », comme dirait Germain, le gardien. Habituellement, les oiseaux prennent une brindille par-ci, du duvet par-là … et construisent leur nid dans un arbre, n'est-ce pas ?

Tirli, lui, a trouvé le nid douillet qu'il lui faut dans… l'oreille d'une girafe ! Ne riez pas.

Tirli habite l'oreille de la girafe Longuette, et il est très heureux.

Une oreille, c'est épatant, vous savez. Tirli peut y piquer un somme sans craindre qu'on vienne le surprendre. Et puis, c'est si doux et si chaud !

Mais l'oiseau a une autre raison d'habiter l'oreille de Longuette : il veut tout voir et tout entendre... sur les mys-térieux humains qui viennent au zoo.

Ainsi, il deviendra un savant. Et alors, il ira rejoindre les oiseaux savants de la planète Plume ! Ce jour-là, un grand condor viendra comme un Boeing 747 et il montera sur son dos !

Du haut de sa girafe, Tirli apprend le monde des humains.

3

iiiiiiiiiii !

ou **Germain-en-patins**

En fait, la photo, c'était sûrement pour le concours. Les humains raffolent des concours. Tirli l'a noté dans son calepin. La personne qui prendra la meilleure photo du zoo recevra un trophée en or. Ce trophée brille dans le pavillon des visiteurs, bien à l'abri sous une boîte de verre. « Ouf ! se dit Tirli, dans son refuge, pourvu que le concours ne dure pas trop longtemps ... »

Tiens ! Le gardien Germain sort de sa maison. Il est en patins à roues alignées. Sa grosse moustache est tout embroussaillée. Dans sa main, il tient une clé. Il la met dans sa poche. Puis il patine jusqu'au pavillon où se trouve le trophée.

C'est plus fort que Tirli, il veut étudier de plus près cet homme à roulettes.

Il bat des ailes jusqu'au pavillon. Germain est à l'intérieur. L'oiseau écoute à la

porte, mais les visiteurs parlent tous en même temps. Impossible de comprendre quoi que ce soit ! Mieux vaut regarder par une fenêtre. Trois petits coups d'aile et c'est fait. Tirli ouvre un œil rond comme celui d'une caméra.

Le gardien se promène habilement entre les visiteurs. Tiens, il se penche pour admirer le trophée. Il est accroupi. Lorsqu'il se relève, la clé tombe de sa poche. Il ne s'en aperçoit pas.

Il sort pour aller faire sa ronde en saluant les gens à grands coups de moustache.

Tirli change de fenêtre. Un homme en manteau rouge s'approche très vite, s'empare de la clé et la met dans sa poche. Personne ne le voit. L'homme a pris la clé ! Est-ce normal ?

— Pourquoi cet homme ne court-il pas la remettre au gardien ? se demande Tirli.

De retour dans l'oreille de Longuette, il cherche quoi écrire dans son calepin, mais ne trouve rien. Tant pis.

Tirli est fatigué. Il se roule en pompon dans l'oreille de Longuette. Il s'endort en rêvant au condor et à la planète Plume.

Soudain, des mots arrivent par l'oreille de Longuette :

— Il n'y a presque plus personne. Je pense que j'ai le

temps de voler le trophée pendant que le gardien fait sa dernière ronde.

Tirli a les yeux grand ouverts.

Voler le trophée ? Qui a dit cela ?

4

tou toui

ou **Écoutez !**

La girafe-radar a repéré un homme en manteau rouge qui marmonne tout seul. C'est celui qui a pris la … Oh ! Tirli vient de comprendre à quoi sert la clé ! Il s'élance vers le pavillon. L'homme arrive. Avant qu'il ait le temps d'entrer, Tirli se met à piailler très fort au-dessus de sa tête.

— Cui cui cui cui cui cui cui !

Malheur ! Les humains ne le comprennent pas. Au contraire, les deux seules visiteuses ne s'intéressent qu'à Tirli :

— Quelles drôles de plumes ! dit la petite.

La mère approche et... « Ah non ! » Tirli est ... clic ! ... photographié.

— Maman, crois-tu qu'on pourra gagner le concours avec cette photo ?

— On ne sait jamais...

Mais personne ne se rend compte qu'un voleur est là ! Tirli monte et descend comme un hélicoptère au-dessus de lui.

— Cui cui cui cui cui cui cui !

La maman avance de nouveau vers l'oiseau et … « Ah non ! pas encore ! » … clic ! une autre photo est prise.

Tirli se sauve sur une branche d'arbre. Les deux visiteuses s'en vont, car le zoo va bientôt fermer.

Le voleur entre tranquillement dans le pavillon. Il y est complètement seul.

5

iiip !

ou **Il s'en est fallu**

d'une plume !

Au même instant, le gardien Germain revient, mais il regarde partout à terre. On dirait qu'il cherche quelque chose. Tirli sait très bien ce qu'il cherche.

Il faut agir vite, sinon le voleur aura le temps d'ouvrir la boîte de verre avec la clé. Tirli file jusqu'à l'intérieur du pavillon. La clé brille dans la main de l'homme. Tirli fonce droit sur lui, vise sa main et hop ! il pique la clé. Moteurs ! Jet supersonique ! Tirli sort comme un fou du pavillon. En passant près de Germain, il laisse tomber la clé et continue son chemin.

Presque aussitôt, le gardien voit briller quelque chose par terre :

— Tiens, c'est bizarre. Ma clé est ici…

Il la ramasse et roule tranquillement vers le pavillon en grattant son énorme moustache.

Enfin, Tirli est de retour dans l'oreille de Longuette. Avant de se rendormir, il note dans son calepin : « Les humains font parfois des choses étranges. Et puis, qu'est-ce qu'elles ont de si drôles, mes plumes ?... »

6

niii ?

ou **C'est une maison ?**

— Mimi, regarde la girafe ! J'aimerais m'asseoir sur son dos.

— Toi, espèce de cornichon sucré ? Qu'est-ce que tu ferais là ?

— Je serais Léo, le capitaine du bateau !

C'est le matin. Le zoo vient tout juste d'ouvrir. Tirli ne peut plus dormir, car l'oreille de Longuette vient de capter ces jolies voix. De qui sont-elles ? De sa tour de contrôle, l'oiseau découvre qu'il s'agit de deux petits humains debout sur le trottoir. Ils se tiennent par la main. Ils sont de la même taille.

Ils se ressemblent comme deux oisillons.

— J'aimerais bien entrer dans le zoo, Mimi.

— Pour cela, il faut avoir des sous, cornichon tout mou…

Tirli prend des notes : « Parfois, les humains parlent d'une voix toute triste. Et quand leur voix est triste, elle est douce. »

Aussitôt, Tirli se rend à eux. Il monte et descend devant eux comme un hélicoptère.

— Mimi, as-tu remarqué le petit oiseau ?

— Où ?

— Mais juste devant toi, grande patate frite !

Tirli est content. Il danse dans les airs. Les petits sont épatés. Ils applaudissent. Puis ils disent :

— Au revoir !

Au revoir ? Pourquoi n'entrent-ils pas dans le zoo ?

— Cui cui cui cui cui !

Ils sont déjà de l'autre côté de la rue. Ils ne se retournent pas. Tirli les suit.

À mesure qu'ils s'éloignent du zoo, Tirli remarque que les maisons sont abîmées. Il y a des ordures un peu partout. Et aucun oiseau n'habiterait ici, il n'y a même pas d'arbres pour faire un nid !

Tirli n'a jamais vu cela.

Soudain, les petits s'arrêtent devant une grosse boîte de

carton coincée sous un escalier.
Léo s'y engouffre. Mimi aussi.

Ils n'en ressortent pas. Ils
restent assis au fond, blottis l'un
contre l'autre.

— Regarde, Léo !

— L'oiseau nous a suivis.

— Tu voulais voir notre maison, hein ?

Tirli est horrifié. Cette boîte est leur « maison » ?

— C'est vraiment notre maison, tu sais.

— Non, c'est notre super bateau.

— Nos parents ont disparu.

— Notre super navire va sur la mer. Vois-tu la mer ? Regarde autour de toi !

Tirli regarde autour de lui. Il ne voit pas du tout la mer, car il n'y en a pas. Il ne voit que des maisons grises, la rue, le trottoir.

Il comprend que le bateau est un rêve.

Chut !

Il ne faut jamais briser un rêve.

Tirli écrira dans son calepin que quand les humains sont tristes, ils rêvent.

— Cui cui cui ! dit-il pour saluer les enfants.

Il rentre chez lui à tire-d'aile.

Il passe la journée à étudier la foule du haut de sa girafe.

Le soir venu, il écrit longtemps dans son calepin et termine comme ceci :

« J'ai vu deux enfants épatants, ils s'appellent entre eux « grande patate frite » et « espèce de cornichon », mais c'est juste pour rire. Ils n'ont pas trouvé que j'ai de drôles de plumes. »

Puis il se transforme en balle d'ouate et … bonne nuit ! Déjà, un grand condor vole dans sa tête de petit oiseau qui ne comprend pas tout.

7

pui ! pui ! pui !
ou **Oh là là !**

— You-ou !

— Où es-tu, petit oiseau ?

Tirli a envie de crier « chut ! »,
mais la nuit est bel et bien finie.
Mimi et Léo sont déjà là. L'oreille
de Longuette est confortable,
mais c'est pire qu'un haut-

parleur. Ne riez pas. Ce n'est pas facile tous les jours de devenir savant, vous savez.

Tirli prend une courte note : « Les enfants sont parfois très matinaux. » Puis il vole jusqu'à eux. Il se pose sur l'épaule de Léo.

— Oh ! Il nous a reconnus !

— C'est parce qu'il n'y a personne ce matin, cornichon tout vert.

— C'est parce qu'il sait reconnaître les capitaines de bateau, patate bouillie.

Au même instant, un homme passe sur le trottoir. Il s'arrête au guichet du zoo. Il achète un billet. Mais… mais… Tirli a déjà vu ce manteau rouge quelque part !...

Moteur ! Jet supersonique ! Tirli fonce à toute allure, vise l'homme, vise la main et hop ! Cette fois, l'homme retire sa main juste à temps. Il est furieux :

— Va-t'en, Tas-de-plumes ! Tu ne m'enlèveras pas mon billet !

« Tas-de-plumes ? Moi ? »

Vexé, Tirli le regarde se diriger vers le pavillon.

« Tas-de-plumes ? »

Péniblement, il se secoue et prend le manteau rouge en filature. Les enfants le suivent des yeux le plus loin possible.

Au pavillon, Germain-en-patins surveille à la porte. L'homme le salue et entre tout seul dans le bâtiment.

Tirli sent que quelque chose se prépare. Il se lance à la fenêtre. Le trophée brille sous la boîte de verre.

Tirli revient au gardien et piaille.

— Tiens, c'est bizarre, dit le gardien. J'ai cru un instant que cet oiseau essayait de me parler... C'est le même oiseau qu'hier. Je vais raconter cela à maman.

— Cui cui cui cui cui cui !

Le gardien cherche dans ses poches :

— Ah ! dit-il. J'ai oublié mon téléphone portable. Allons le chercher tandis qu'il n'y a qu'un visiteur dans le zoo.

Le voilà qui part à sa maison ! Que faire ?

Tirli monte et descend en hélicoptère cent fois en attendant son retour.

8

u-u-u-u !

ou **Comme c'est triste !**

Le gardien revient enfin, mais il est au téléphone. L'homme mystérieux sort du pavillon. Son manteau fait une grosse bosse. Il salue Germain en souriant de toutes ses dents. Mais Germain a-t-il besoin de lunettes ? Il ne s'aperçoit de rien ! Rien du tout !

— Cui cui cui cui cui cui cui !

Désespéré, Tirli retourne à la fenêtre.

Et ce qu'il y voit le rend bien triste. En effet, dans le pavillon, la boîte de verre est brisée en mille miettes.

Le trophée a disparu. Le voleur
aussi.

Quant au gardien, il continue
sa conversation :

— Je m'ennuie tellement dans
ma grande maison, maman !...

9

rrrr-uuu-iiiiiii !
ou **À l'aide !**

Alors, Tirli lance un long cri que seuls ses amis comprennent.

Un grand silence se fait dans le zoo.

— Tiens, c'est bizarre, dit le gardien, en éteignant le portable.

Ici et là, la nature remue. Les amis de Tirli se réveillent.

Grelle sort de l'oreille de l'hippopotame.

Frouline sort de l'oreille de l'éléphant.

Ulip sort de celle de l'ours.

Moteurs ! Jet supersonique !

Tous trois ont des plumes... originales. Ils accourent. Ils sont déjà au courant de tout, car eux aussi, ils écoutent aux portes.

10

grrui !

ou **Des oiseaux en colère**

Longuette ne comprend pas pourquoi on la réveille.

— On a besoin de ton radar.

— Ah bon ! Si ce n'est que cela... voici : le manteau rouge arrive tout juste à la sortie.

— Merci, Longuette.

Les oiseaux foncent. Arrivés à l'homme, ils comptent : Un ! Deux ! Trois ! En avant !

Grelle picore sur le ventre.

Frouline double-pique les bras.

Ulip triple-pique les jambes.

Tirli picosse la caboche.

— Germain, les oiseaux sont devenus fous ! crie la guichetière.

Elle accourt. Elle est très grande. Elle tape dans ses mains. L'attaque cesse.

Le gardien du zoo arrive en roulant à toute allure.

11

é pi ta dam !

ou **Ça alors !**

Deux voix d'enfants percent. Elles viennent du trottoir :

— Explique-lui, patate crue !

— Hein ? dit la guichetière, éberluée.

— Dis-le, toi, cornichon d'eau douce !

— Pardon ? répond Germain, près de se fâcher.

Les deux enfants s'écrient en même temps :

— Regardez cet homme. Il a un bien gros ventre sous son manteau !

L'homme et la femme regardent enfin le manteau du visiteur. Le gardien Germain fronce les sourcils :

— Tiens, c'est bizarre, dit-il.

— Quoi donc ? répond le voleur.

Les oiseaux recommencent à le picorer.

— Ouille ! Ouille !

Au même instant, quelque chose glisse du manteau et tombe dans le sable.

— Oh ! s'écrient les enfants, un trophée !

Aussitôt, Germain prend le voleur au collet. La guichetière récolte le trophée.

— Qu'est-ce que je vais faire de lui ? s'exclame Germain.

— Cui cui cui cui cui cui cui !

Tout le monde regarde Tirli. Il bat des ailes si fort qu'il perd des... tas de plumes. Il est dans un nuage de plumes. Il fait mine de traverser la rue.

— Il veut qu'on le suive, dit Mimi.

Le voleur intervient :

— Je n'ai surtout pas envie de...

— Vous suivez ou j'appelle la police, dit le gardien, en mettant la main sur son portable.

— Je vais tenir le zoo fermé jusqu'à votre retour, dit la guichetière.

Le gardien, le voleur, les enfants et les oiseaux suivent Tirli.

la ... ru-la-ru-la-ru ?

ou **Une ... boîte de carton ?**

— Qu'est-ce que c'est que cette grosse boîte vide ? demande Germain.

— C'est notre maison, dit Mimi.

— Vous habitez une boîte de carton ? dit-il.

— Non, c'est notre super bateau, lance Léo.

Le visage de Germain devient tout triste. Il ne dira plus jamais à sa mère qu'il veut habiter une boîte de carton. Jamais ! Il a déjà vu des photos d'enfants qui vivent dans la rue. Mais il ne pensait pas que cela pouvait arriver dans son pays à lui, si près du zoo. Surtout, il ne s'était jamais demandé où dormaient les enfants de la rue.

Le frère et la sœur ne parlent plus.

Le gardien comprend que les enfants n'aiment pas dire qu'ils sont seuls et pauvres. Il fait donc comme si de rien n'était :

— Oh le super bateau ! s'écrie-t-il. Autour, c'est la mer, hein ? Voyez-vous souvent des pirates ?

— Tous les jours ! répond Léo, très fier.

— Cui cui cui cui !

— L'oiseau veut encore nous parler, remarque Mimi.

— Pourquoi tire-t-il sur la boîte avec son bec ?

— C'est pour la soulever, cornichon à boutons !

— C'est beaucoup trop lourd, patate pilée !

Encore une fois, Germain comprend.

— Suivez-moi, dit-il à la ronde. Vous, le voleur, apportez cette boîte.

13

tui ! tui ! tui !

Ou **Ha ! Ha ! Ha !**

La boîte de carton est placée bien en vue en plein milieu du zoo rouvert. Il y a maintenant beaucoup de visiteurs. Sur la boîte, c'est écrit : trophée du zoo. Germain surveille en tiraillant sa moustache. Les gens se bousculent pour voir.

Et que découvrent-ils dans la boîte ?

Le voleur !

— Où est passé le trophée en or ? demandent-ils, interloqués.

— Nous l'avons rangé, répond Germain.

Ils prennent des photos. Ce sera très bon pour le concours. Et clic ! sur le gardien. Et clic sur le voleur, pieds et poings liés dans sa cage de carton. Les quatre oiseaux s'amusent beaucoup :

— Tui tui tui !

En langue humaine, cela signifie :

— Ha ! Ha ! Ha !

Pendant ce temps, Mimi et Léo visitent le zoo gratuitement. D'abord ils mangent de fabuleux spaghettis. Et une tarte au sucre. Ils boivent un grand verre de lait. Et même deux !

Les voilà qui font une promenade à dos d'éléphant avec d'autres enfants. Les voilà qui caressent les chèvres. Ils font de

beaux yeux à la girafe Longuette.
Jamais on n'a vu un cornichon
sucré et une patate frite aussi
heureux.

Mais le soir venu, le voleur
pleure de rage dans sa boîte de
carton.

— Je vous laisse partir, dit le gardien à l'homme. À condition que vous ne reveniez jamais.

Il est prêt à bondir si le voleur montre les poings. Mais le voleur s'en va sans dire un mot. « Tiens, c'est bizarre », pense le gardien.

Le zoo fermé, Tirli retrouve son calepin et l'oreille de Longuette. « J'ai vu le voleur s'en aller. Il avait l'air si malheureux, il ne recommencera jamais, j'en suis certain ! »

Épuisé, Tirli se roule en boule et hop ! Quel beau bouchon

d'oreille il fait ! Ne riez pas, Tirli
est enfin en paix. Il dort.

14

ourlou-ou ?

ou **Où sont-ils ?**

— Mimi ! Léo ! Où êtes-vous ?

Ça y est, le bouchon d'oreille vient de sauter. Tirli ouvre un œil.

— Mimi ? Léo ? Êtes-vous là ? tonne la voix de Germain.

Quoi ? Les enfants ont disparu ? Ils étaient si contents de visiter le zoo. Seraient-ils retournés en ville ? Perdus dans la nuit ?

Moteurs ! Jet supersonique !

Tirli n'a pas le temps de lancer son cri que Grelle sort de l'oreille de l'hippopotame. Frouline sort de celle de l'éléphant et Ulip, de celle de l'ours.

Tous partent à la recherche de Mimi et Léo sous la lune claire.

Grelle survole les rues envi-
ronnantes. Frouline et Ulip
cherchent dans tous les arbres.
Tirli parcourt le reste du zoo.

Pendant ce temps, le gardien
fouille le pavillon de fond en
comble. Il fouille ensuite sa
propre maison.

Mimi et Léo demeurent introu-
vables.

Dépité, il s'assoit sur la
galerie. Grelle le rejoint, elle n'a
vu aucun enfant dans les rues
sombres. Frouline et Ulip
reviennent, il n'y a aucun enfant
dans les arbres. Tirli atterrit, il

n'a vu aucun enfant dans tout le zoo. Les quatre oiseaux se perchent tristement sur les épaules du gardien.

Tirli ne pense même plus à la planète Plume. Tout ce qu'il veut, c'est retrouver Mimi et Léo. Grelle se mouche dans son aile. Frouline se blottit dans le cou de Germain. Ulip verse de grosses larmes.

— Comment les retrouver ? soupire le gardien.

Soudain, la sonnerie du portable retentit. Germain répond :

— Allô, maman ?

Puis il rougit et ajoute :

— Oh... pardon, Monsieur !

Les oiseaux se redressent. Germain ne parle pas avec sa mère. Tous les quatre se cachent derrière le dos du gardien. Ils écoutent. Il dit :

— Les enfants ? Où cela ?

Les quatre oiseaux pépient de joie. Il est question des enfants.

— Cui cui ! cui ! cui ! cui ! cui !
cui ! cui ! cui ! ! !

— Chut ! C'est le voleur. Il dit
qu'il sait où sont les enfants.

Le voleur ? ? ? Grelle est tout
étourdie. Frouline croit qu'elle a

mal entendu. Ulip regarde Tirli. Tirli regarde... le gardien.

— Que disiez-vous ? Oh ! Vous êtes sur le trottoir. Vous nous avez vus chercher... Et vous croyez avoir deviné... Vous aussi, vous avez déjà été pauvre. Je comprends.

« Germain est formidable, se dit Tirli. Il comprend tout, alors que moi, je ne comprends plus rien à cette histoire ! »

Quand Germain éteint le portable, il sait exactement où aller.

15

ti-gui-dou !

ou **Retrouvés !**

La boîte de carton est toujours au même endroit, en plein milieu du zoo éclairé par la lune.

Germain glisse sa tête à l'intérieur. Les oiseaux s'accrochent à son dos. Il lance :

— Pirate à l'horizon ! Nous avons besoin de renfort !

Une faible voix répond :

— Ici, le capitaine Léo du super bateau...

— Tiens, c'est bizarre, réplique Germain, je n'entends qu'une voix. Pourtant, je devrais en entendre deux...

Il attend. Les quatre oiseaux attendent. Aucun son ne vient.

Le gardien reprend :

— J'ai une grande maison.

Encore le silence. Les quatre oiseaux restent bien agrippés. Germain gratte sa moustache. Il ajoute :

— Je m'ennuie, tout seul dans ma grande maison. J'ai besoin d'amis !

On entend un léger frottement, suivi d'un toussotement.

La petite voix attendue chuchote :

— C'est vrai ?

Le gardien aussi chuchote :

— Vrai de vrai !

— Tu as besoin d'amis ?

— Oui !

Pour approuver, les oiseaux pépient à qui mieux mieux.

Alors doucement, Mimi et Léo se montrent le bout du nez. Puis

ils sortent de la boîte en se
tenant par la main.

Le gardien est si heureux qu'il
fait une pirouette sur ses patins
à roulettes. Les oiseaux se
précipitent sur une branche

d'arbre. A-t-on idée de tour-
nicoter comme cela ?

— J'ai des amis, j'ai des amis !
crie Germain, tandis que plein de
plumes tombent sur lui.

Mais tout n'est pas encore
réglé, car du haut de la branche,
les quatre oiseaux voient venir
un manteau rouge.

Aïe ! Aïe ! Aïe ! Que va-t-il se
passer ?

Grelle a trop peur, elle se
pelotonne sur Frouline. Frouline
se dit qu'elle a mal vu et se colle

sur Ulip... qui est déjà par-dessus Tirli. Tirli voit le gardien mettre la main dans sa poche. Va-t-il prendre son portable pour appeler la police ?

L'homme est maintenant devant eux.

Au grand étonnement de tous, le gardien sort un billet d'entrée au zoo !

— Bienvenue, dit-il. Vous pouvez maintenant revenir tant que vous voudrez !

— Merci, dit l'homme en souriant. Mais n'oubliez pas d'avertir la guichetière, je ne veux plus sauter la clôture.

tourelou relou relou !

ou **Au revoir !**

Tirli est devant son calepin. Cette fois, cela ne sera pas très long, car il sait exactement quoi écrire : « Les humains ont besoin d'amour pour être bons et heureux. Plus on les connaît, plus on les aime. »

Maintenant, au dodo. Tirli est plus que fatigué. Le voilà comme une petite cocotte dans l'oreille de la girafe Longuette. Bonne nuit ! Il ronfle déjà.

Mais soudain... ah ! Quoi encore ?

Qu'est-ce encore que ce bruit ? On dirait un bruit d'ailes...

Un magnifique condor plane au-dessus de Longuette et on entend une voix grave :

— Tirli, tu peux venir sur la planète Plume.

— Moi ? s'exclame Tirli en se réveillant à moitié.

— Oui, car tu commences à devenir savant.

Est-ce un rêve ? La lune lui joue-t-elle un tour ? Comme le condor est beau ! Gravement, il monte sur son dos et le grand oiseau s'élève.

— Cui cui cui ! chantent ses amis, ce qui signifie « À bientôt ! ».

— Je réserve ta place, lance Longuette, l'oreille pleine de plumes.

— Reviens nous voir ! crient Mimi et Léo, de la galerie du gardien.

Tirli entend-il les voix qui se hissent vers lui comme de petits feux d'artifice ?

— Tiens, c'est bizarre, dit Germain, en regardant dans le ciel.

Ensemble, le condor et Tirli volent au-dessus du zoo. Des

plumes tombent doucement. On dirait de la neige.

Germain s'installe et ... clic ! Il prend une photo.

Qui sait ? Ce sera peut-être la photo gagnante du concours...

Chut !

Tirli ne s'en est pas aperçu...

Table des chapitres

En langage de Tirli	En langage d'humain

1. Tirli écornifle

2.Le nid de Tirli

3.Germain-en-patins

4. Écoutez !

5. Il s'en est fallu d'une plume !

Collection DÈS 6 ANS

Martine Richard
  Tas-de-plumes et les humains
  Aquarine a-t-elle perdu la boule ?
Rollande Saint-Onge
  Le Chat qui voulait voler
Claire Daignault
  Tranches de petite vie chez les Painchaud
Catherine D. Fournier
  Noir, noir charbon
Josée Ouimet
  Daphnée, la petite sorcière
  Le Paravent chinois

suite de... **Clonage-choc**
Manon Plouffe
  Le Rat de bibliothèque [3]
  Clara se fait les dents [3]
Manon Boudreau
  La Famille Calicou
  Le Magicien à la gomme
Maryse Robillard
  Chouchou plein de poux
Rita Amabili Rivet
  Voyage sur Angélica [4]
Josée Ouimet
  Passeport pour l'an 2000
Jean-Marie Gignac
  La Fiole des Zarondis
Isabel Vaillancourt
  L'Été de tous les maux
Jean Béland
  Un des secrets du fort Chambly
  Adieu, Limonade ! [3]
Louis Desmarais
  Tempêtes sur Atadia
  Tommy Laventurier
  Le Bateau hanté
  Indiana Tommy
  L'Étrange Amie de Julie [3]
    Sélection de Communication jeunesse
Francine Bélair
  Les Dents d'Akéla
    Sélection de Communication jeunesse

Collection ADOS/ADULTES

Josée Ouimet
L'Inconnu du monastère
Diane Groulx
Au delà des apparences
Paula Nadeau
Le Retour du cauchemar
suite de... **Cauchemar sur la ville**
Ken Dolphin
Terra-express
Sabrina Turmel
Le Cycle de la vie
Sylvain Meunier
L'Arche du millénaire
Suzanne Duchesne
Nuits occultes
Marcel Braitstein
Saber dans la jungle de l'Antarctique
suite de... **Les Mystères de l'île de Saber**
Viateur Lefrançois
Les Inconnus de l'île de Sable
suite de ... **L'Énigme de l'œil vert**
Jean-Pierre Gagnon
Don Quichotte Robidoux [3]
Renée Amiot
L'Autre Face cachée de la Terre
suite de ... **La Face cachée de la Terre**
Une Seconde chance [3 + 4]

Isabel Vaillancourt
sr@fantome.com À vos risques et périls

Gilles Lemieux
Argent double et agent double
Steve Fortier
L'Île de Malt
Hélène Desgranges
Le Rideau de sa vie
Le Givré

Collection PETITE ÉCOLE AMUSANTE

Charles-É. Jean
Question de rire, 140 petites énigmes
Remue-méninges
Drôles d'énigmes
Robert Larin
Petits Problèmes amusants
Virginie Millière
Les Recettes de ma GRAM-MAIRE

Collection JEUNE PLUME

Hélène Desgranges
Choisir la vie
Collectifs
Pour tout l'Art du jeune monde
Parlez-nous d'amour

Documents d'accompagnement
disponibles

Achevé d'imprimer chez
MARC VEILLEUX IMPRIMEUR INC.,
à Boucherville,
en septembre deux mille un